小鸟睡了，鸭子睡了，奶牛睡了，

就连月亮也甜甜地睡了，

可是小羊莎莎睡不着。

小羊莎莎为什么睡不着？

她要听睡前故事，

妈妈只好给她讲。

妈妈一连讲了三个故事，

一个太让人激动了，

一个太好笑了，

一个太吓人了。

她都不满意，

还是睡不着。

莎莎要听什么样的故事才能睡着呢？

咱们一起来听听……

——金 波

京权图字：01-2009-3366

图书在版编目(CIP)数据

小羊睡不着 ／（英）诺拉克（Norac, C.）著；（日）松冈芽衣绘；金波译. — 北京：外语教学与研究出版社，2009.6（2013.5 重印）

（聪明豆绘本系列. 第4辑）

ISBN 978-7-5600-8629-3

Ⅰ. 小⋯　Ⅱ. ①诺⋯ ②松⋯ ③金⋯　Ⅲ. 图画故事—英国—现代　Ⅳ. I561. 85

中国版本图书馆 CIP 数据核字（2009）第 089506 号

出 版 人：蔡剑峰
责任编辑：李文潇
封面设计：许　岚
出版发行：外语教学与研究出版社
社　　址：北京市西三环北路 19 号（100089）
网　　址：http://www.fltrp.com
印　　刷：北京尚唐印刷包装有限公司
开　　本：889×1194　1/16
印　　张：2
版　　次：2009 年 6 月第 1 版　2013 年 5 月第 11 次印刷
书　　号：ISBN 978-7-5600-8629-3
定　　价：14.90 元
＊　　＊　　＊
购书咨询：(010)88819929　　电子邮箱：club@fltrp.com
如有印刷、装订质量问题，请与出版社联系
联系电话：(010)61207896　　电子邮箱：zhijian@fltrp.com
制售盗版必究 举报查实奖励
版权保护办公室举报电话：(010)88817519
物料号：186290001

聪明豆绘本系列

小羊睡不着

卡尔·诺拉克(英)文   松冈芽衣(日)图

金波 审译

外语教学与研究出版社
北京

夜幕降临，农场里安静下来了，动物们都去睡觉了，可是小羊莎莎睡不着。

树上的小鸟很快进入了梦乡，可是莎莎睡不着。

"咩！" 莎莎对着树上叫，她想把小鸟们叫起来，跟她一起玩，可是小鸟们睡得正香，谁也不起来。

鸭子们很快进入了梦乡，可是莎莎睡不着。

"咩！" 莎莎对着池塘叫，可是鸭子们谁也不起来。

奶牛们很快也进入了梦乡，可是莎莎睡不着。

"咩！" 莎莎对着牧场叫，可是奶牛们谁也不起来。

月亮不该这么早就睡吧，可是看上去它好像也睡着了。

咩——

莎莎对着月亮叫。

可是月亮也不理莎莎。

莎莎烦了，叫了这么久，却没有一个朋友能跟她玩。她在牧场里转来转去，有点儿累了，就想找块不一样的地方躺下来睡觉。

"那个大食槽看上去不错！"她想。

莎莎爬进大食槽里，
一会儿翻到这边，

一会儿扭到那边。

没用，大食槽太硬
了，躺在里面一点儿也
不舒服。

这时，莎莎看到她的朋友——小羊小木塞走了过来。
"嘿，小木塞！"她说，"咱们玩一会儿吧。"
"对不起，莎莎，我得回去睡觉了。"小木塞说。

"可我睡不着啊！妈妈说，如果你一边看小羊跳栅栏，一边数一、二、三……很快就能睡着了。"莎莎说，"你跳栅栏给我看嘛。"

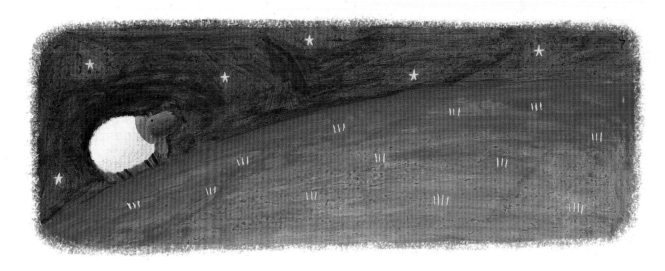

小木塞答应了。他退到离栅栏很远的地方，

然后用最快的速度奔向栅栏……

可是，随着一声尖叫，他猛地停了下来。

"对不起，莎莎，我害怕！"小木塞
说，"我这么矮，栅栏却那么高！"

莎莎叹了口气，"唉！小木塞也帮
不了我，我只好去把妈妈叫醒了。"

妈妈被吵醒了，有点儿生气。
"怎么了，莎莎？"她问。

"好吧。"妈妈说，"只讲一个就睡觉哦！
过来坐下，别说话，我讲给你听。"

妈妈开始讲："从前，有一只小羊，她想当公主。她戴上公主的金冠，然后……"

16

妈妈，妈妈，别讲这个故事。这个故事太让人激动了！

妈妈重新开始讲："从前，有一只大胖熊，他一边敲鼓一边跳舞……"

隆！
隆！
隆！

妈妈又开始讲："从前，有一只凶狠的老狼，每天早上他都要吃一个小羊三明治，并且……"

妈妈，妈妈，别讲这个故事。这个故事太吓人了！

这回，妈妈真的有点儿生气了，"莎莎，
你到底要听什么样的？"

"我要听甜甜的、柔柔的故事才能睡着。"莎莎说。

"它要像小草一样甜……像花儿一样香……
像夕阳一样温暖……像妈妈一样温柔……"

莎莎说着说着，声音越来越低，眼睛也渐渐地闭上了。

妈妈把莎莎搂到身边，轻轻地说："睡吧，宝贝儿！"然后她也闭上了眼睛。

莎莎和妈妈美美地一觉睡到大天亮。

温暖的睡前故事

——郑宇庭（台湾台东大学儿童文学研究所博士生）

许多图画书给人以温暖、清新的感受，非常适合作为家长给孩子阅读的睡前故事。这类图画书的重点在于诉说一个令人安心又没有太多烦恼的故事，而这类故事往往会有一个好的结局。更重要的是，这类图画书巧妙地传达了一种安全感，能令孩子们安然入睡。《小羊睡不着》正是如此。它告诉孩子：家人永远在你身旁。

故事的线索十分简单，小羊莎莎在入睡前碰到了麻烦。她无法好好入睡，而农场里的其他动物纷纷睡去，没有人可以陪她玩了。她最后只好求助妈妈，告诉妈妈自己需要一个甜甜的、柔柔的故事来催眠。

本书的色调柔和，无形中传达了一种安详的感觉。故事里的小羊们圆圆的、软软的，非常可爱，你仿佛可以抱着它们一起睡觉。

特别值得注意的是，全书的光影安排相当具有层次感。故事发生在夜晚，当然不会有太过强烈的光线，但是绘者巧妙地将光影有层次地堆叠。不管是农舍中的光线还是农场上的光线，甚至是月亮映照下来的皎洁月光，都显得非常和煦。图画氤氲着睡前宁静的气息，就算没有文字的烘托，读者也能立即感受到绘者所要表达的图像语言。

在图画风格之外，绘者的构图也相当具有空间感。小羊莎莎尝试叫醒小鸟的那幅画面，采用了"上下"的构图关系；牛羊们睡觉的画面，则是"前后"的构图关系；莎莎想要在食槽里入睡时的图画，采用了"里外"的构图关系。而整个农场的大小，则透过全景式构图来表达，我们可以看到远方农场的围墙是相当小的，而且是平面的，这样的围墙很好地展现了农场的宽阔感。而围墙之内，或远或近地卧着许多动物，即便不用文字述说，小读者们也能明白，动物们都在宽阔的农场里睡着了，只有莎莎睡不着。莎莎与妈妈之间的大小差别更为明显，通过对比构图，让小读者有一种被母亲保护的安全感。

淡彩的使用与构图相呼应，让全书的温暖感受自然而然地浮现，不需刻意强调。

读完这个温暖的睡前故事后，小朋友们是不是也想效仿小羊莎莎，睡觉前给妈妈讲讲故事呢？